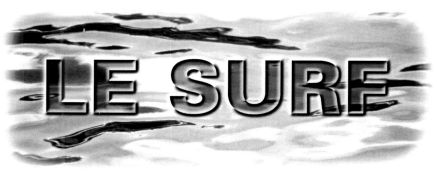

LE SURF

Paul Mason

GAMMA • ÉCOLE ACTIVE

extrêmes limites

LE SURF

Dans la collection :

LE MOTOCROSS
LE VTT
LE ROLLER
LE SNOWBOARD
LE SKATEBOARD

© Hodder Children's books 2000
Titre original : *Surfing*
Auteur : Paul Mason

© Éditions Gamma,
60120 Bonneuil-les-Eaux, 2001,
pour l'édition française.
Traduit par Jacques Canezza.
Dépôt légal : juillet 2001.
Bibliothèque nationale.
ISBN 2-7130-1931-1

Exclusivité au Canada :
Éditions École Active
2244, rue de Rouen, Montréal,
Qué. H2K 1L5.
Dépôts légaux : 3ᵉ trimestre 2001.
Bibliothèque nationale du Québec,
Bibliothèque nationale du Canada.
ISBN 2-89069-673-1
Loi n° 49-956 du 16 juillet 1949
sur les publications destinées à la jeunesse.

Imprimé en Italie.

Crédits photographiques :
Pete Frieden 4, 16, 29 (bas, milieu); Chris van Lennep 10,
29 (milieu, en haut);Tim McKenna 12 (haut), 28 (bas); Chris
Power 18 (haut), 19 (haut), 29 (haut); Mike Searle imprint,
5, 6, 7, 8, 11 (haut), 12 (bas), 13, 14, 15, 17, 18 (bas),
19, 20, 21 (bas), 22 (bas), 24 (bas), 26 (bas), 27, 28 (haut,
milieu, en bas); Alex Williams (28 milieu en haut); Darrell
Wong 23.Illustrations p. 8 et 9 fournies par Mayer Media.

Le surf

Le surf est l'art de se maintenir en équilibre sur une vague déferlante. On peut surfer sur une kneeboard, un bodyboard, un matelas pneumatique ou tout simplement sans planche, avec des palmes. Mais la plupart des gens surfent sur un… surf.

Le jargon du surf

Barre : zone où les vagues cassent.

Beach break : vague sur fond sablonneux.

Droite : une vague qui déroule vers la droite en regardant du large vers la plage.

Épaule : partie de la vague sur le point de déferler.

Gauche : une vague qui déroule vers la gauche.

Lèvre : partie supérieure de la vague.

Line up : zone où les surfeurs attendent les vagues, derrière la barre.

Point break : vague déferlant le long d'une anse formée par la côte.

Reef break : vague sur fond rocheux.

Session : le moment passé à surfer.

Set : une série de vagues.

Spot : un lieu où se pratique le surf.

Surfer paraît simple bien que ce soit en réalité extrêmement difficile à apprendre. Mais une fois appris, cela ne s'oublie jamais. On voit aujourd'hui sur les plages des surfeurs de 60 ou 70 ans qui débutèrent quand le surf était à la mode. On voit aussi des enfants de 5 ou 6 ans qui prennent leurs premières vagues, les premières des milliers ou dizaines de milliers qu'ils prendront au cours de leur vie.

He'enalu

He'enalu est le mot hawaiien qui désigne le surf. Il est lui-même composé de deux mots qui ont plusieurs significations :

He'e (verbe)

1. Surfer sur une planche.
2. Fuir, poussé par la peur.

Nalu (verbe)

1. Parler à voix basse ou se parler à soi-même.
2. Penser, chercher la vérité.

Le surf, c'est peut-être tout cela à la fois : se tenir sur une planche, fuir, poussé par la peur et rechercher la vérité.

Les origines

La Polynésie

Le premier surfeur fut aperçu en 1778 par le capitaine Cook lors de sa découverte des îles Sandwich (Hawaii). L'origine exacte de ce sport spectaculaire pourrait être attribuée aux Maoris, un peuple migrateur de Polynésie aujourd'hui fixé en Nouvelle-Zélande.

Le surf est né à Hawaii, où seuls les rois avaient le droit d'utiliser les meilleures planches appelées *olos*. Le reste du monde découvrit le surf en 1907, quand George Freeth quitta Hawaii pour faire une démonstration sur la plage de Redondo, en Californie. Mais le premier surfeur célèbre fut l'Hawaiien Duke Kahanamoku qui introduisit le surf en Californie en 1912 et en Australie en 1914.

La plage de Pipeline, à Hawaii, vue du poste de surveillance. Les surfeurs observèrent ces rouleaux pendant des années avant d'oser s'y aventurer.

L'Europe découvre le surf

C'est le cinéma qui introduisit le surf en Europe. Non pas en montrant des films sur le surf, mais grâce à un scénariste qui travaillait sur un film tiré du roman d'Ernest Hemingway, *Le Soleil se lève aussi*. Découvrant les belles vagues de la Côte des Basques de Biarritz, il se fit envoyer une planche de Californie et surfa : l'Europe découvrit alors un nouveau sport.

La ruée des surfeurs vers la plage.

Le surf, connu depuis longtemps, ne devint vraiment populaire que dans les années 1960 grâce à des films qui lui étaient entièrement consacrés. Les premiers de ces films furent réalisés par des surfeurs, mais Hollywood prit bientôt le relais. Des milliers de jeunes découvrirent le surf grâce à des films tels que *L'été sans fin (The Endless Summer)*.

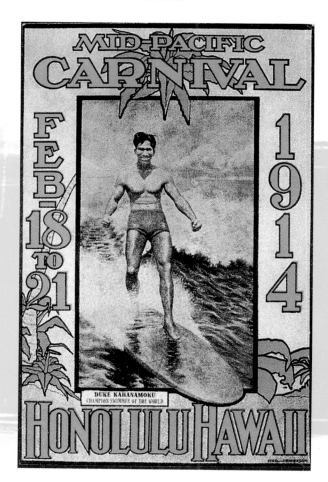

Duke Kahanamoku

Duke est reconnu comme le père spirituel de tous les surfeurs. Mais ce fut aussi un nageur hors pair. En 1911, il pulvérisa le record du monde du 100 yards. Il remporta la médaille d'or du 100 mètres aux Jeux olympiques de 1912 et 1920.

Il lança un club de surf le *Hui Nalu*. Sa notoriété lui ouvrit les portes d'Hollywood où il interpréta de nombreux rôles de princes arabes ou de chefs indiens.

Les shortboards

Aujourd'hui, la plupart des surfeurs utilisent des shortboards. Ce sont des planches très performantes qui permettent des manœuvres difficiles grâce à leur légèreté et à leur vitesse. Mais elles sont beaucoup moins stables que les longboards malibus ou que les mini-malibus.

Les shortboards se ressemblent toutes, mais la moindre différence de forme (le *shape*) peut avoir une incidence importante sur leur réaction dans une vague. Les éléments clés sont la longueur, la largeur, l'épaisseur et la forme du dessous de la planche (carène).

Rail épais

Rail fin

Le rail

Un rail (bord de la planche) arrondi et épais facilite le contrôle de la planche, mais ralentit les virages. Un rail plus fin permet des virages rapides, mais offre moins de stabilité.

Le tail

Un tail (arrière de la planche) effilé permet une meilleure conduite dans les grosses vagues. Un tail plus large offre de meilleures accélérations, mais rend le contrôle de la planche plus difficile.

-- Le nose

Un nose (devant de la planche) large prend mieux les vagues ; un nose plus effilé est plus maniable dans les grosses vagues.

- La longueur et la largeur

Les planches longues et larges prennent mieux les grosses vagues ; les planches courtes et étroites sont plus maniables pour les petites vagues creuses.

Carène en V

-- La carène -------------------- Carène concave

Une carène concave et des canaux autour des dérives canalisent l'eau sous la planche et la rendent plus rapide. Avec une carène en V, la planche est plus manœuvrable, mais plus lente.

Les dimensions idéales

Un *shaper* (fabricant de planches) californien légendaire suggère les dimensions suivantes :

Type de vagues	Longueur	Largeur	Épaisseur	Carène
Molles	180-200 cm	48 cm	6 cm	Concave
Grosses	200-220 cm	47 cm	5,7 cm	En V

Les dérives

La forme et la taille des dérives influent sur la vitesse et la maniabilité de la planche.

La révolution
du longboard

Bonga Perkins surfant à Pipeline, Hawaii.

Les dimensions

Un longboard mesure en moyenne 275 cm pour une largeur d'environ 55 cm et une épaisseur de 6 cm, avec un nose arrondi. Certains atteignent 290 cm et même 306 cm.

De plus en plus de surfeurs se laissent séduire par les longboards. Ces planches, qui permettent de glisser sur une longue distance dans les vagues molles, développent un style de surf où les figures alternent avec les manœuvres.

Will Eastham, champion européen de longboard en 1999.

Les avantages

- Ils prennent beaucoup de vagues.
- Ils sont faciles à ramer.
- Ils sont stables, parfaits pour les débutants.

Les inconvénients

- Ils sont souvent utilisés (dangereusement) par les débutants.
- Ils sont plus lourds.

Joel Tudor

Joel Tudor avait 17 ans lorsqu'il remporta son premier championnat du monde de longboard. Il passe maintenant son temps à voyager. Il participe à des compétitions, des séances de photos et il fait de la publicité pour son sponsor.

Pour Joel, le surf ne semble pas un sport si difficile !

Si tu ne surfes pas sur un longboard, tu peux trouver ces derniers gênants. Après des heures d'attente, tu vois enfin arriver la vague parfaite. Mais avant même qu'elle se brise, un sans-gêne surgit sur son longboard ! Les longboards sont aussi agréables que les shortboards. Ils donnent aux surfeurs un style fluide très plaisant pour eux et pour les spectateurs.

Duane Desoto surfe sur un longboard à l'intérieur d'un tube.

Les bases
et le style

Chaque surfeur possède son propre style. Certains sont très « cool » et semblent à peine bouger. D'autres ressemblent à des tornades et tourbillonnent en gesticulant sans arrêt.

Quel que soit ton style, tu dois maîtriser cinq mouvements de base.

Le take off

C'est le départ sur la vague. Rame énergiquement pour te déplacer aussi vite que la vague. Quand la planche a pris la vague, redresse-toi sur les bras, ramène les jambes sous toi et relève-toi.

Le bottom turn

C'est le virage en bas de la vague. Après le take off, tu es debout sur la planche et tu dois faire un virage en bas de la vague pour la suivre. Les jambes fléchies, fais porter ton poids sur le rail jusqu'à ce que la planche tourne.

Le roller

C'est le virage en haut de la vague. Pour éviter de passer par-dessus la vague, tu dois la redescendre en faisant un bottom turn à l'envers.

Le floater

C'est le franchissement d'une section de la vague sur la lèvre. Un pan de vague s'abat devant toi. Tu peux le contourner par le bas en faisant un bottom turn ou glisser dessus en effectuant un floater : tu dérapes sur la crête de la vague, puis sur l'écume.

Le cut back

C'est un virage sur l'épaule de la vague. Il t'arrive parfois de dépasser le point de déferlement de la vague. Pour revenir vers l'écume, tu exécutes alors un cut back.

Plus de style...

Presque toutes les figures de surf sont basées sur le bottom turn, le roller, le floater ou le cut back. Mais, sous l'influence du skateboard et du snowboard, les surfeurs ont créé de nombreuses variantes. Le skateboard, en particulier, a contribué à la naissance du surf radical et aujourd'hui, sur les plages du monde entier, on peut voir des surfeurs exécuter des aerials, des tailslides, des 360° et d'autres figures tout aussi étonnantes.

Les nouveaux adeptes de l'aerial

Les premiers surfeurs qui exécutaient des aerials n'essayaient pas de maintenir leur équilibre après le saut au-dessus de la vague. Aujourd'hui, des surfeurs doués - comme Kalani Robb (à gauche) - réussissent régulièrement à retomber en équilibre.

L'un des premiers adeptes de l'aerial, Shane Beschen, continue à repousser les frontières du possible.

À éviter :

- les combinaisons fluorescentes ;
- les shorts de surf moulants ;
- les permanentes ;
- l'agressivité ;
- la prise de vague avant son tour.

La compétition

Eddie Aikau

Eddie Aikau, célèbre maître nageur sauveteur et surfeur spécialiste des vagues de Waimea, les plus grosses du monde, disparut en mer en 1978. Chaque année, en sa mémoire, est organisée sur Waimea une compétition sur invitation qui ne se déroule que si les vagues atteignent une hauteur de 6 m.

La plupart des surfeurs ne participent jamais aux compétitions. Mais les meilleurs surfeurs y sont contraints, car c'est le seul moyen de gagner sa vie tout en surfant.

Le circuit de compétition pour les surfeurs professionnels est le WCT *(World Championship Tour)* chapeauté par l'ASP *(Association of Surfing Professionals)*. Les quarante-quatre surfeurs qualifiés chaque année s'affrontent sur les meilleures vagues du monde. L'ASP organise également le WQS *(Word Qualifying Series)*, le circuit de division 2 du surf pro.

Il existe aussi des compétitions régionales, nationales et des compétitions hors circuit, telle la *Quiksilver in Memory of Eddie Aikau.*

Le spot de G-land, à Hawaii, accueille l'une des plus importantes compétitions de surf.

Les épreuves du World Championship Tour

MOIS	LIEU	PAYS
Mars	Kirra/Gold Coast	Australie
	Bell's Beach	Australie
Avril	Manly	Australie
Mai	Teahupoo	Tahiti
	Torami Beach	Japon
Mai-juin	Tavarua/Namotu	îles Fidji
Juillet	Jeffrey's Bay	Afrique du Sud
Juillet-août	Huntington Beach	États-Unis
Août	Newquay	Angleterre
	Lacanau	France
Septembre	Hossegor	France
Octobre	Anglet/Mundaka	France/Espagne
Décembre	Rio de Janeiro	Brésil
	Pipeline, Oahu	Hawaii
	Alii Beach, Oahu	Hawaii
	Sunset Beach, Oahu	Hawaii

Lors d'une compétition à Pipeline (Hawaii), un surfeur réclame aux juges le maximum de points.

Le plus grand surfeur du monde

Un après-midi de décembre 1995, Kelly Slater gagne une compétition qui lui permet de remporter les masters de Chiemsee Pipe, la Hawaiian Triple Crown of Surfing et son troisième titre de champion du monde. Kelly Slater s'est depuis adjugé d'autres titres de champion du monde, portant leur nombre à six. C'est incontestablement la star du surf des années 90.

La joie de Slater - qui salue ici son ami Rob Machado - lors des championnats du monde.

Kelly Slater

Kelly Slater est originaire de Floride, sur la côte Est des États-Unis. Il vivait à une vingtaine de minutes en voiture de Sebastian Inlet, le spot le plus célèbre de la côte, où il surfait dès que les vagues le permettaient. Depuis le lycée, Slater est une machine à gagner les compétitions. C'est aussi une star de la télévision grâce au feuilleton *Alerte à Malibu*. Sa liaison avec Pamela Anderson, l'autre star de ce feuilleton, fit d'innombrables envieux parmi les surfeurs du monde entier.

Une autre explosion de joie après une nouvelle victoire en championnat du monde.

Son 3ᵉ titre mondial

« La compétition de l'an dernier, à Pipeline, a certainement été la meilleure de ma vie. Et je suis sûr qu'elle le restera. Je ne pense vraiment pas que je pourrai faire mieux. »

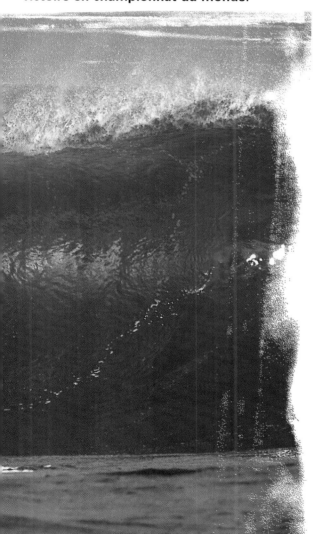

Des photographes se risquent dans la barre pour saisir le meilleur surfeur du monde.

Hawaii

L'archipel des îles Hawaii est non seulement le berceau du surf mais aussi son temple. C'est là que se joue le championnat du monde. Tous les surfeurs rêvent d'y passer l'hiver pour y affronter les vagues réputées les plus grosses du monde.

Bienvenue à Hawaii…

La xénophobie

Hawaii est la destination la plus prisée des surfeurs ; mais la xénophobie y est malheureusement répandue pour décourager les visiteurs de fréquenter certains spots. Cela peut aller d'un accueil peu hospitalier jusqu'à la violence, comme la destruction de planches de surf.

Les haoles

C'est ainsi que les Hawaiiens appellent les surfeurs étrangers. Le mot fut utilisé, pour la première fois, lors de l'arrivée dans l'archipel du capitaine Cook et de son équipage.

Il signifiait : *étranger privé du souffle vital.* L'invasion des plages hawaiiennes par les surfeurs a été comparée à celle des Blancs venus à la suite de Cook, et le mot *haoles* est réapparu pour les désigner.

… l'archipel des spécialistes…

C'est à partir d'Hawaii que s'est répandu le surf dans les années 1910 et 1920 grâce à Duke Kahanamoku. C'est toujours à Hawaii que, depuis les années 1950, les meilleurs surfeurs viennent évaluer leurs capacités.

…et des téléobjectifs. Te risquerais-tu dans ces rouleaux pour prendre des photos ?

Grosses vagues

Pour certains, surfer dans de grosses vagues représente le défi ultime. Le surf est toujours dangereux, mais ces passionnés risquent leur vie au cours de chaque session. Ces dernières années, deux des meilleurs surfeurs ont trouvé la mort dans de grosses vagues.

Pour bien prendre les grosses vagues, les surfeurs utilisent de grandes planches (d'environ 280 cm de long).

Mavericks

Les vagues de Mavericks' Reef, dans la Half-Moon Bay en Californie, sont parmi les plus célèbres du monde. L'eau froide, les courants, la forte houle et les rochers attirent les surfeurs qui ont le goût du risque. De plus, ce spot est situé dans le Triangle rouge où les surfeurs sont régulièrement attaqués par les grands requins blancs.

Le surf tracté

Les planches de surf tracté se caractérisent par :

- **une épaisse stratification** en fibre de verre qui renforce et alourdit la planche ;

- **la présence de plomb** qui alourdit lui aussi la planche et l'empêche de rebondir sur les vagues ;

- **une longueur réduite** qui facilite les virages ;

- **des sangles amovibles** qui maintiennent les pieds du surfeur quand il est tracté et aussi quand il chevauche les grosses vagues.

Les adeptes des très grosses vagues repoussent sans cesse les limites. Le surf tracté devient de plus en plus populaire. Le surfeur, debout sur une planche spéciale, est tracté au bout d'une corde par un jet-ski, afin d'atteindre la vitesse des grosses vagues (ce qui est impossible en ramant). Il lâche la corde au moment où la vague va se briser et il la surfe.

Laird Hamilton fait du surf tracté à Peahi. Sachant que Laird mesure 1,85 m, quelle est la hauteur de la vague ?

La plus grosse vague

Greg Noll, surnommé Da Bull (le Taureau), réussit à ramer dans la très forte houle du rivage nord d'Oahu, une des îles Hawaii, et surfa une vague qui atteignait, selon les témoins, une hauteur de 12 m. Il tomba et tous pensèrent qu'il était impossible d'en sortir vivant. Mais il réussit à regagner la plage à la nage.

Les règles de conduite

Les surfeurs, épris de liberté, sont souvent considérés comme rebelles, et cette image leur plaît. Mais il y a des règles à respecter quand tu surfes et elles sont parfois appliquées très strictement.

Les surfeurs regardent autour d'eux pour savoir qui doit prendre la vague.

Le but de ces règles est d'aider les surfeurs ; la plupart d'entre eux se font un plaisir de les respecter. Ceux qui les enfreignent le regrettent parfois : ils se font, par exemple, arracher leurs dérives...

Les surfeurs sont nombreux dans le line up et, sans règles de sécurité, les accidents seraient très fréquents.

Questionnaire sur la priorité

1 Cinq surfeurs rament pour prendre la même vague.
Qui a la priorité ?

a) celui qui possède la plus belle planche ;

b) le plus âgé ;

c) celui qui est le plus près du pic de la vague.

2 Tu surfes la plus belle vague de la journée quand un surfeur
en train de ramer se met sur ton chemin. Que fais-tu ?

a) tu l'insultes et lui fais signe de s'éloigner ;

b) tu essaies de le contourner ;

c) tu sors de la vague pour être certain de ne pas le blesser.

3 Tu es en train de ramer lorsqu'une vague se brise devant toi.
Il y a probablement d'autres rameurs derrière toi. Que fais-tu ?

a) tu abandonnes ta planche et tu plonges le plus profondément possible ;

b) tu vérifies qu'il n'y a personne derrière toi avant de la laisser partir ;

c) tu t'accroches à ta planche et tu fais le canard ou tu esquimautes. Même s'il n'y a personne derrière toi, c'est un bon entraînement.

Tes résultats

Tu as une majorité de a : tu es un danger public. Tu ne devrais pas avoir le droit de sortir de chez toi, encore moins de surfer. Si tu essaies malgré tout, tu vas vite te retrouver sur la plage.

Tu as une majorité de b : ton cas n'est pas désespéré. Tu n'es pas délibérément dangereux et tu respectes tes aînés, ce qui est positif.

Tu as une majorité de c : tu seras le bienvenu sur la plupart des plages, car tu ne risques pas de provoquer d'accidents.

La sécurité

Imagine la force avec laquelle ta tête serait projetée en arrière si tu recevais un seau d'eau en pleine face. Compte maintenant combien il y a de seaux d'eau dans une petite vague, et pense à l'effet qu'ils auraient sur ton corps.

Le surf est dangereux. Les courants, les grosses vagues, les hauts-fonds, les rochers, les autres surfeurs, tout est synonyme de danger. Et nous ne mentionnons même pas les requins...

Quelques conseils

- Ne surfe jamais seul.
- Ne surfe jamais quand un drapeau signale un danger.
- Quand tu tombes, rentre le menton et mets une main derrière la tête, ton avant-bras devant le visage. Place ton autre bras derrière le cou. Cette position t'évitera de te rompre le cou et arrêtera ta planche si tu la reçois en pleine tête.
- Saute toujours de ta planche pour éviter qu'elle ne te heurte.
- Sauf s'il y a des rochers, il est moins risqué de te lancer devant la vague, allongé sur la planche, que de sauter en arrière dans l'écume.

Les courants

Si tu es pris dans un courant :

● ne panique pas ;

● n'essaie pas de ramer à contre-courant. Tu ne seras jamais plus fort que l'océan ;

● garde ta planche avec toi ;

● rame vers les bords du courant. Il continuera à t'emporter, mais tu te retrouveras dans des eaux moins rapides ;

● quand tu sentiras que le courant s'affaiblit, dirige-toi vers la plage.

Il est difficile de dire qui court le plus grand danger : le surfeur qui s'envole ou ceux qui sont en train de ramer ?

Les spots

Les îles Canaries

Partout où des vagues déferlent, les surfeurs sont présents. Certains spots sont fréquentés depuis des années ; d'autres viennent à peine d'être découverts ; certains sont peu fréquentés parce qu'ils sont difficiles d'accès.

Toutes les régions où se pratique le surf ont leurs spots mythiques. Des types de vagues sont plus courants à certains endroits, mais en général, chaque région possède toutes les variétés de vagues : reef breaks, beach breaks et point breaks.

Big Sur, en Californie, États-Unis

Reef break, à hawaii

Les point breaks

Ce sont des vagues qui déferlent le long d'une anse formée par la côte. Elles permettent de rester longtemps sur la planche.

Deux exemples célèbres : Jeffrey's Bay, en Afrique du Sud et Malibu, aux États-Unis.

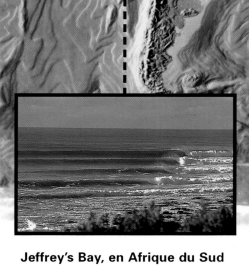

Jeffrey's Bay, en Afrique du Sud

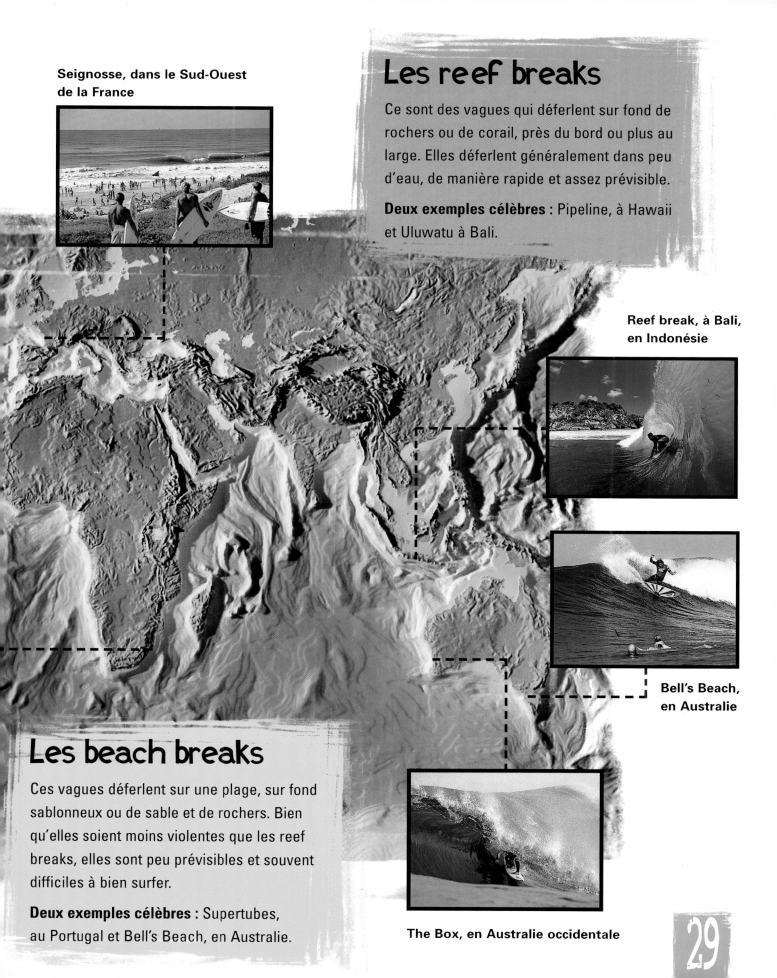

Seignosse, dans le Sud-Ouest de la France

Les reef breaks

Ce sont des vagues qui déferlent sur fond de rochers ou de corail, près du bord ou plus au large. Elles déferlent généralement dans peu d'eau, de manière rapide et assez prévisible.

Deux exemples célèbres : Pipeline, à Hawaii et Uluwatu à Bali.

Reef break, à Bali, en Indonésie

Bell's Beach, en Australie

Les beach breaks

Ces vagues déferlent sur une plage, sur fond sablonneux ou de sable et de rochers. Bien qu'elles soient moins violentes que les reef breaks, elles sont peu prévisibles et souvent difficiles à bien surfer.

Deux exemples célèbres : Supertubes, au Portugal et Bell's Beach, en Australie.

The Box, en Australie occidentale

29

Glossaire

aerial : saut et virage au-dessus de la vague.

barre : la zone où les vagues cassent.

board : une planche ; un surf.

bodyboard : un style de surf qui se pratique allongé sur la planche ; la planche elle-même.

bottom turn : un virage en bas de la vague.

canard (faire le) : plonger avec la planche sous les vagues pour les passer.

carène : la partie immergée de la planche.

cut back : un virage sur l'épaule de la vague.

épaule : la partie de la vague qui est sur le point de déferler.

esquimauter : passer les vagues en retournant la planche.

floater : un dérapage au sommet de la vague.

goofy : être debout, pied gauche à l'arrière.

kneeboard : un style de surf qui se pratique agenouillé sur la planche ; la planche elle-même.

lèvre : la partie supérieure de la vague.

line up : la zone où les surfeurs attendent la vague pour démarrer.

longboard : une planche de grande taille.

malibu : un longboard.

mini-malibu : une planche de taille moyenne (250 cm).

natural : être debout, pied droit à l'arrière.

nose : l'avant de la planche.

radical (surf) : un style de surf, influencé par le skateboard, qui se caractérise par des appuis très forts et une prise de risques très importante.

rail : le bord de la planche.

roller : un virage en haut de la vague.

session : le moment passé à surfer.

set : une série de vagues.

shape : la forme de la planche.

shaper : un fabricant de planches.

shortboard : une planche de petite taille.

spot : un endroit où l'on surfe.

tail : l'arrière de la planche.

take off : le départ de la planche sur la vague.

Pour plus d'informations

Des livres

Surfeurs de tube, Alexandre Hurel,
    Pimientos, 1998.
Connaître le surf, V. Biard,
    Sud-Ouest, 1998.
Surf : shape, manœuvre, freesurf,
    surfers de légende, spots,
    S. Cohen, EPA, 1997.
Le surf, Nicolas Dejean, Ulisse, 1996.
L'homme de la vague, Soultrait,
    Vent de terre, 1995.
Surf Atlantique - Les territoires
    de l'éphémère, Augustin, Maison
    des Sciences de l'Homme
    d'Aquitaine, 1994.
Surf, Laurent Vrbica, Glénat,
    1990.
Globesurfer, Cohen, Glénat,
    1990.

Des vidéos

Les dieux du surf, GCR, 1998.
L'esprit du surf (3 vol.) 5VI, 1997.
Sauts, surf et fun, ECHO, 1994.
Surfing U.S.A., MF, 1993.
Surf crazy, WVF.

Sur le net

www.surf-attitude.com
(portail consacré aux sports de glisse).
www.fedesurf.com
(site de la Fédération Française de Surf).
www.biarritzsurffestival
(site du Festival de Biarritz qui se tient en juillet).
www.malibusurf.org
(site de photos de sports de glisse).

Index